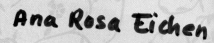
Querida Cenicienta

Marian Moore y Mary Jane Kensington
Ilustrado por Julie Olson

SCHOLASTIC INC.

Originally published in English as *Dear Cinderella*
Translated by J.P. Lombana

ISBN 978-0-545-45702-6

12 11 10 9 8 7 6 5 4 3 2 1   12 13 14 15 16 17/0

Printed in the U.S.A.   40
First Spanish printing, September 2012

The display type was set in Belleview and Dorchester Script.
The text was set in Edwardian Medium.
The art was created using watercolor, ink, and digital media.
Book design by Chelsea C. Donaldson

A mi abuela,
que coloreó conmigo. —M.M.

A Lukas y Olivia, que cambiaron
nuestro reino para siempre. —M.J.K.

A mis muchas, muchas sobrinas,
¡todas son princesas! —J.O.

Querida Cenicienta:

Estoy muy contenta de que nos escribamos cartas. Yo vivo en un castillo muy grande con mi cruel madras- tra, la Reina. Aunque soy una princesa, ella me hace trabajar todo el tiempo. Siempre estoy limpiando el piso o lavando las ventanas o haciendo algún tipo de labor. me gustaría vivir en un lugar muy lejano donde mis sueños se vuelvan realidad.

Espero que tu situación sea mejor que la mía.

Escribe pronto,
Blanca Nieves

Querida Blanca Nieves:

    ¡Tu carta me alegró el día! Siento mucho lo de tu madrastra... Sé exactamente cómo te sientes. Yo vivo con mi madrastra y dos hermanastras, y ellas me hacen trabajar muchísimo.

    A mí no me molesta cuidar el jardín o alimentar los animales o cocinar. Si bailas y cantas mientras restriegas, lavas y limpias, todas las obligaciones se vuelven divertidas.

La, la, la, la, la,
Cenicienta

Querida Cenicienta:

   He estado bailando y cantando desde que leí tu carta. mi madrastra me trata muy mal, pero espero que las cosas cambien algún día.

   me gusta soñar con un Príncipe Azul que llega en su caballo blanco y me lleva lejos de mi malvada madrastra y de todas las obligaciones que tengo. mi príncipe y yo cabalgaremos hasta un lugar lejano, donde está su castillo, ¡y viviremos felices para siempre!

   ¿Cómo te va a ti?

   Tu amiga,
   Nieves

Querida Nieves:

¡Hoy ha sido un día sensacional! Mi madrastra me dijo que puedo ir al Baile del Príncipe. Estoy muy emocionada. ¡No puedo dejar de cantar!

Antes de ir, debo terminar mis labores, hacer los vestidos para mis hermanastras y mi propio vestido con la tela que sobre.

Debo comenzar cuanto antes porque tengo mucho que hacer. Me encantaría que me vieras dando vueltas y vueltas de lo feliz que estoy.

¡Voy a ir al baile!

Siento que soy la chica más feliz de todo el reino.

Te quiero mucho,
Cenicienta

Querida Cenicienta:

¡Estoy taaaaan contenta por ti! ¿Cómo va a ser tu vestido? Cómo quisiera que tuviéramos un príncipe en mi reino para poder ir a un baile. En lugar de eso, tengo a mi madrastra, que se pasa el día entero hablándole a un espejo mágico. Siempre le hace la misma pregunta: "Espejito, espejito, ¿quién es la más hermosa de todo el reino?". Y el espejo siempre le responde: "Tú, mi reina, eres la más hermosa de todas".

Espero que tengas una noche mágica.

Con mis mejores deseos,

Nieves

P.D.: mi madrastra me ha dicho que mañana debo acompañar al cazador del castillo al bosque. No tendré que hacer ninguna de mis labores. ¡Yujuuuuuu!

Querida Nieves:

¡Ay, no! Estuve todo el día ayudando a mis hermanastras a arreglarse para el baile, y apenas estuvieron listas, ¡se fueron sin mí! Recién comencé a hacer mi vestido y no sé si alcanzaré a terminarlo.
Pero no pierdo la esperanza de ir al baile. Voy a cantar y a coser hasta que termine.

Besos,

Cenicienta

P.D.: Más tarde termino de contarte... ¡Un momento! Algo raro está pasando...

Querida Cenicienta:

¡Espero que hayas podido ir al baile!

No vas a creer lo que me pasó. ¿Recuerdas que te dije que iría al bosque con el cazador? Pues bien, ¡él me contó que mi madrastra le había ordenado deshacerse de mí!

Luego, me dijo que no podía volver al castillo, así que corrí por el bosque y me escapé. Encontré una cabaña muy linda, y un amable hombrecito que vive ahí me invitó a quedarme para que esté a salvo.

Te escribiré más dentro de poco.

Tu amiga,
Nieves

P.D.: Creo que hay más personas arriba porque oigo mucho ruido...

Querida Nieves:

¡Estoy tan feliz de que te hayas escapado de esa malvada reina!

Cuando estaba haciendo el vestido para el baile, ¡de repente apareció mi propia hada madrina! Movió su varita y convirtió una calabaza en un coche y a unos ratoncitos en caballos. Mis harapos se convirtieron en un hermoso vestido, ¡y aparecieron unas zapatillas de cristal! El hada me dijo que debía volver a casa antes de la medianoche.

Fui al baile y bailé una vez con el Príncipe. ¡Ay, Nieves, fue como un sueño!

Cuando dieron las doce, bajé las escaleras del palacio a toda carrera y una de las zapatillas se me cayó y tuve que dejarla ahí. Pero llegué a tiempo a casa.

Con cariño,
Cenicienta

Querida Cenicienta:

¡No puedo creer que tengas tu propia hada madrina y que hayas bailado con el Príncipe! ¿De qué color era tu vestido? ¿Vas a ver al Príncipe otra vez?

Te cuento que me estoy quedando en la casa de siete enanitos. ¿Puedes creerlo? Ellos han sido muy buenos conmigo. Son un poco desordenados, pero no me importa ayudarlos con la limpieza. Me encanta cocinar y que cenemos todos juntos. Hasta me he vuelto amiga de los animales del bosque.

Estoy muy contenta por las dos.

Tu mejor amiga,
Nieves

P.D.: ¿Encontraste la zapatilla de cristal? ¡Debe de ser lindísima!

Querida Nieves:

Mi vestido era rosado y brillante. Bailé y di vueltas toda la noche.

Tu nueva casa me parece maravillosa y me alegra mucho que estés a salvo y lejos de tu madrastra.

No vas a creer esto, pero el Príncipe está visitando todas las casas del reino. Está buscando a la chica que perdió la zapatilla de cristal. ¡Esa soy yo! ¿Qué voy a hacer? Estoy muy ocupada haciendo vestidos para que mis hermanastras se los pongan cuando nos visite el Príncipe. No sé si me reconocerá.

Te quiero mucho,
Cenicienta

Querida Nieves:

¿Estás bien? Hace tiempo que no me escribes. Por favor, cuéntame cómo estás... Me encanta recibir tus cartas y estoy empezando a preocuparme.

Ansiosa,
Cenicienta

QUERIDA CENICIENTA:

BLANCA NIEVES NOS HA HABLADO MUCHO DE TI Y POR ESO QUEREMOS CONTARTE LO QUE HA PASADO. UN DÍA QUE VOLVÍAMOS DEL TRABAJO, VIMOS A UNA VIEJA QUE SALÍA DE LA CABAÑA. ¡CREEMOS QUE ERA LA MALVADA REINA DISFRAZADA! ENCONTRAMOS A NIEVES DURMIENDO EN EL SUELO, Y PARECÍA QUE ACABABA DE MORDER UNA MANZANA. HEMOS INTENTADO DESPER-TARLA DE MUCHAS MANERAS, PERO SIGUE DORMIDA.

QUERÍAMOS CONTÁRTELO PARA QUE SUPIERAS POR QUÉ NO HA CONTESTADO TUS CARTAS. ESPERAMOS ESCRIBIRTE PRONTO CON MEJORES NOTICIAS.

SINCERAMENTE,
LOS SIETE ENANITOS

Querida Cenicienta:

¡Supe que estabas preocupadísima!

Lo siento, pero sucedió algo horrible. La manzana que mordí tenía un hechizo que me hizo dormir, y solo podía despertarme con un beso especial.

Pero luego ocurrió algo maravilloso. Un príncipe oyó acerca de la princesa durmiente del bosque y fue a rescatarme. Cuando me dio un beso, el hechizo desapareció. Abracé a los siete enanitos y me despedí de ellos, y prometimos vernos con frecuencia. Mi príncipe y yo cabalgamos en su caballo blanco hasta su reino, que está muy lejos, ¡y nunca más tendré que ver a mi malvada madrastra!

Estoy muy feliz. ¡Los sueños sí se vuelven realidad!

Con mucho cariño,

Nieves

Querida Nieves:

¡Ya tienes tu príncipe y yo tengo el mío! ¡Me la paso dando vueltas y vueltas! ¡Y estoy feliz de que estés bien!

El Príncipe visitó nuestra casa. Después de que mis hermanastras se probaron la zapatilla de cristal en sus inmensos pies, el Príncipe preguntó si había alguien más en la casa. Mi madrastra me había encerrado arriba, en mi habitación, pero el Príncipe oyó mis pasos.

Bajé y me probé la zapatilla de cristal y me quedó perfecta. Entonces, mis harapos se convirtieron mágicamente en un bellísimo vestido rosado, y él me alzó y me llevó en su caballo.

¡Estoy tan contenta! ¡Tenías razón! Los sueños sí se vuelven realidad.

Con mucho cariño,
Cenicienta

Estás invitada a
las bodas de
Blanca Nieves y el Príncipe Azul
y
Cenicienta y su Príncipe
en el Palacio Real

¡Y fuimos felices por siempre!

Recién Casados